Cendrillon

RETROUVEZ DISNEY PRINCESSE
DANS MA PREMIÈRE BIBLIOTHÈQUE ROSE

Cendrillon

Ont collaboré à cet ouvrage :
Katherine Quenot pour le texte,
l'Atelier Philippe Harchy pour les illustrations.

Hachette Livre, 43, quai de Grenelle, 75015 Paris.

Chapitre 1

Bonjour, mon nom est
Cendrillon et j'ai
un secret pour
ne pas être triste :
je crois aux rêves.

Le plus beau rêve, c'est l'amour. Je crois à l'amour. J'y songe au fond de mon lit, la nuit, dans le grenier où ma belle-mère me fait dormir. J'y pense en balayant le château où je suis devenue une servante, quand mon père est mort.

Tout chante l'amour,
lorsqu'on sait écouter.
Javotte et Anastasie, les filles
de ma belle-mère,
n'entendent pas. Ce n'est
peut-être pas leur faute.
Si j'entends, moi, c'est sans
doute parce que
personne ne me
parle. On me donne
des ordres, on me
réprimande, ça oui.
Si Javotte et Anastasie
écoutaient
les oiseaux,

ils viendraient les réveiller
le matin, elles aussi.
Et ils les aideraient à se
préparer. Qu'y a-t-il de
plus merveilleux que des
oiseaux qui nouent votre
ceinture autour de votre
taille ?
Et je ne
parle pas
de mes
amies

les souris : Jaq, Gus et les
autres. Elles savent tout
faire, même coudre. Moi
aussi, j'aime coudre. Je leur

confectionne de petits habits qu'elles adorent porter.

Il est six heures du matin. L'horloge vient de sonner. Je soupire en pensant à la journée de travail qui m'attend. Oh, cette fois j'ai bien failli oublier que je croyais aux rêves !

J'aperçois par la fenêtre le palais du Roi qui se dessine dans le lointain. On dirait un tableau. J'ai du mal à croire qu'il existe vraiment, avec un Roi à l'intérieur. Peut-être aussi un jeune Prince... Mais, il n'est plus l'heure de rêver. Dans cette maison, il y a également une Majesté. C'est une Majesté à quatre pattes et qui fait « miaou ». Sa Majesté Lucifer dort encore dans son lit à baldaquin.

Elle semble de mauvais poil qu'on la réveille de si bon matin.
Mais sa Majesté doit être servie en premier, ce sont les ordres !
Mon chien Pataud a reçu l'ordre, lui, de ne pas toucher à Lucifer. Mais il se venge quand il dort.
Il rêve qu'il l'aplatit comme une crêpe. Je le comprends, mais je me dis que ce chat

sournois,
méchant et
hypocrite ne
peut pas avoir que des défauts.
C'est comme ma belle-mère
et ses filles. Quelque chose
de gentil se cache sûrement
au fond de leur cœur.
C'est pour cette raison que
je les appelle « Mère »
et « Sœurs ». Je n'ai pas perdu
espoir qu'elles changent
un jour. Elles aiment leur chat,
c'est déjà quelque chose.
— Tout le monde devrait
pouvoir s'entendre, dis-je

à mon bon chien.
Comme si elles le faisaient exprès, les sonnettes de ma belle-mère et de mes sœurs carillonnent en même temps. Elles veulent leurs petits déjeuners tout de suite. Un plateau dans chaque main, un autre sur la tête et hop ! je commence ma tournée.

D'abord Javotte, l'aînée, à qui je demande si elle a bien dormi. Elle grogne que ça ne me regarde pas. En plus des deux plateaux restants, elle me charge les bras de son linge à repasser.

— Ce n'est pas trop tôt ! trépigne Anastasie, dans la chambre voisine, en me donnant aussi son linge à repasser.

Je sers son plateau à ma

belle-mère et je sors bien vite, soulagée d'avoir fini.
Une maladresse est si vite arrivée...
Pas de chance, Anastasie surgit de sa chambre en poussant des cris perçants.
Elle m'accuse d'avoir caché une souris sous sa tasse.
Je comprends bien vite que le coupable est Lucifer. Il avait

emprisonné le pauvre Gus pour le croquer plus tard.

— Tu vas voir ce que tu vas prendre ! se réjouissent à l'avance mes deux sœurs. Malheureusement, elles ont raison. Quand je ressors de la chambre de ma belle-mère, j'ai des tonnes de travail, à en pleurer.

Chapitre 2

Mais non, je ne vais pas pleurer. Je vais chanter, au contraire ! À quatre pattes sur le carrelage, je frotte et je frotte encore en chantonnant.

Le savon fait des bulles qui ressemblent à des petits rêves qui volent autour de moi.

Mais quand je me retourne, j'en perds la voix. Lucifer vient de laisser les traces de ses pattes sales partout où j'ai nettoyé... Malheur ! Ce chat mériterait vraiment une correction. Je crois qu'il l'aurait eue, pour une fois, si quelqu'un

n'avait pas frappé à la porte
à ce moment-là.
— Un message de sa Majesté
le Roi !

La lettre à la main, j'hésite. J'ai ordre de ne pas déranger mes sœurs pendant leur leçon de chant. Je les entends se disputer de l'autre côté de la porte. Je ne suis pas la seule que Javotte et Anastasie détestent. Elles se détestent aussi entre elles. En fait, elles détestent le monde entier. Je crois savoir pourquoi : mes pauvres

sœurs sont très laides et,
en plus, elles chantent
horriblement faux.
Après m'avoir copieusement
injuriée, elles m'arrachent la
lettre des mains. Ô stupeur !
C'est une invitation pour
un grand bal où
le Prince va
choisir sa
fiancée.

Toutes les jeunes filles en âge de se marier y sont conviées.

— Mais alors, je peux y aller aussi ! je m'écrie, ravie.

Mes sœurs se moquent de moi en me demandant comment j'arriverai à danser avec mon balai. Mais je ne me laisse pas décourager. J'insiste et je persiste.

Après tout,

le message précise bien :
toutes les jeunes filles.
Ma belle-mère reconnaît
que j'ai raison.
Elle m'accorde son
autorisation, à condition
d'avoir fini mon travail
auparavant.
Je la remercie du fond du
cœur. Je savais bien qu'il
y avait du bon en elle. 
Mais quelle robe
mettre pour aller au
bal ?
Je n'en ai aucune,
puisqu'on ne m'a

laissé que des haillons.
Soudain, je me souviens
d'une vieille malle au
grenier. Je monte
comme une flèche,
trouve le coffre,
l'ouvre et découvre
une jolie robe rose qui
appartenait à ma maman.
Mes amies les souris me font
remarquer qu'elle n'est plus
très à la mode. C'est juste,
mais je vais arranger ça.
Je m'empare de mes ciseaux,
quand j'entends mes sœurs

m'appeler à tue-tête. Il faut que j'aille les aider.
Je repose ma robe. Tant pis, je m'en occuperai plus tard.
Mais la journée passe et mes sœurs ne me laissent pas une minute à moi.
Quand huit heures sonnent, le carrosse arrive pour les prendre.
« Cendrillon

n'ira pas au bal », me dis-je tristement en gravissant l'escalier pour monter à ma chambre. J'ouvre la fenêtre et je regarde le palais, le cœur gros. Puis, je redresse la tête fièrement. Après tout, qu'est-ce qu'un bal à la cour ? C'est seulement...

« ... merveilleux ! », je murmure en soupirant.

Je me retourne en
entendant un bruit.
Le paravent où j'accroche
mes vêtements s'ouvre.
Quelle n'est pas ma surprise
en découvrant ce qui
m'attend à l'intérieur !

Chapitre 3

Mes amies les souris m'ont
confectionné la plus
merveilleuse robe de bal.
Elles ont même déniché
un collier de perles
et une ceinture en soie.

Je suis sûre que ma maman aurait été heureuse de me voir dans sa robe remise au goût du jour. Après m'être habillée à toute vitesse, je dégringole les escaliers en criant à mes sœurs de m'attendre.

— Elle est belle, ma robe, n'est-ce pas ? Vous aimez ?

Non, elles n'aiment pas du tout et elles ne veulent pas que je vienne avec elles. Heureusement, ma belle-mère est plus gentille. Elle rappelle qu'elle a donné sa parole.

— Regarde ce joli collier que porte Cendrillon ! fait-elle remarquer à Javotte.

Hélas, ma sœur reconnaît son collier. Et la ceinture est celle d'Anastasie. Elles se ruent sur moi. En deux temps trois mouvements, ma robe est mise en lambeaux.

— Retourne dans ta cuisine ! ricanent mes deux sœurs.

— Bonne soirée, ajoute leur mère avec un petit sourire cruel.
Et elles s'en vont. Le monde semble alors s'écrouler… Ivre de chagrin, je pars en courant dans le jardin. Puis je m'effondre au pied d'un banc, parce que je n'ai nulle part ailleurs où aller.
— Je ne crois plus en rien, dis-je en hoquetant, la gorge pleine de sanglots.
— Allons, ma chérie, tu ne

penses pas ce que tu dis ! me répond une voix.

— Oh, mais si !

Je me rends compte alors que je parle à quelqu'un. Levant les yeux, j'aperçois une petite dame auréolée d'étoiles, qui me regarde avec espièglerie.

— Si tu avais perdu tout espoir, explique-t-elle, je ne serais pas là. Sèche vite ces grosses larmes.

Ces paroles ont un effet

magique sur moi. On dirait
les paroles d'une mère.
Soudain, je la reconnais.
C'est ma marraine, la bonne
Fée ! Je me souviens que
mon père m'en parlait,
quand j'étais
petite.
Comment
avais-je pu
l'oublier ?

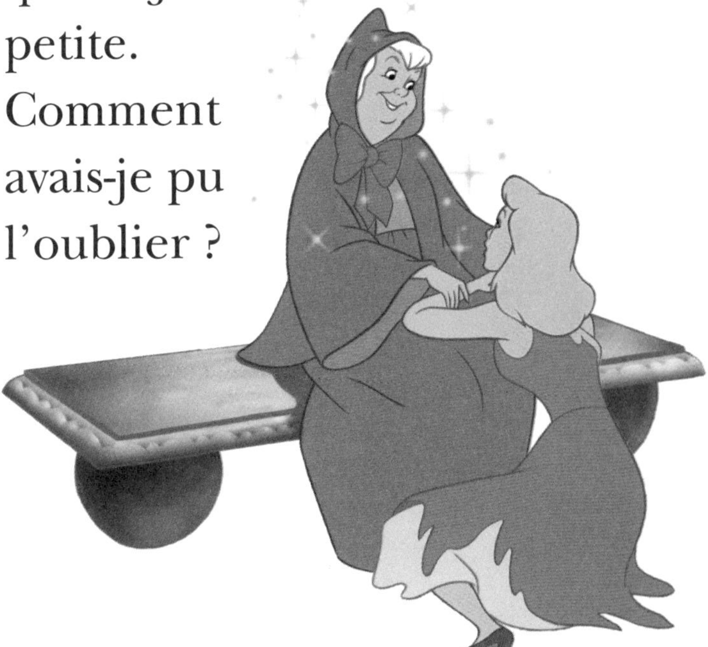

Devant mes yeux écarquillés, elle sort une baguette magique. Je retiens mon souffle. Je suis sûre qu'elle va transformer ma robe. Mais elle fait d'abord rouler une grosse citrouille du fond du jardin pour la changer en carrosse. Puis c'est le tour de mes amies

les souris. Elles sont transfigurées en quatre chevaux blancs empanachés. Après quoi, notre vieux cheval, Major, devient un cocher. Ma robe est toujours en lambeaux, mais je suppose que ce n'est plus pour longtemps...

— La touche finale ! dit enfin ma marraine.

Je ferme les yeux de plaisir. Mais la baguette ne me touche pas.

Elle métamorphose mon chien en laquais…

— En voiture, maintenant ! s'écrie joyeusement ma marraine.

— Mais, ma robe..., je balbutie, sur le point de me remettre à pleurer.

— Qu'a-t-elle donc, ta robe, ma chérie ? Elle est très bien !

C'est alors que la Fée réalise son étourderie.
En un instant, je me trouve revêtue d'une robe dont seules les fées ont le secret.
— C'est comme un rêve ! dis-je en tournoyant dans mes pantoufles de verre.
— Prends garde, m'avertit ma marraine,

la magie sera rompue
à minuit !
— Minuit ! Oh, merci.
Jamais je n'en aurais espéré
autant...

Chapitre 4

Le carrosse file dans la nuit. Mon cœur bat de plus en plus vite. Le château se rapproche. Ce n'est plus une peinture irréelle.

Je commence à distinguer
des silhouettes derrière
les fenêtres illuminées.
Dans quelques secondes,
je serai arrivée. Le carrosse
s'arrête. Je descends,
les jambes un peu
flageolantes, et je

parviens à l'entrée
du château.
Je reste un
moment en retrait, observant
la salle. Un tapis rouge est
déroulé. Il est si long que je
n'en vois pas le bout.

Une voix égrène
le nom des invitées.
— Princesse Frédérica
Eugénie de
la Fontaine.

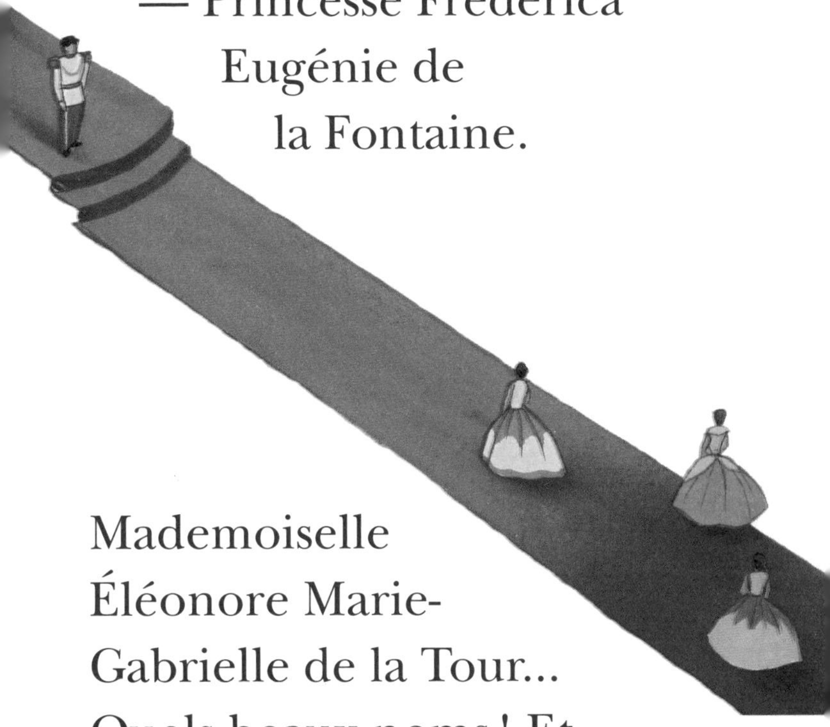

Mademoiselle
Éléonore Marie-
Gabrielle de la Tour…
Quels beaux noms ! Et
quelles jolies demoiselles !

Je ressens leur émotion quand elles s'avancent sur le tapis. Bientôt, ce sera mon tour. Ça y est, c'est à moi. J'arrive en vue du Prince. Mais je garde les yeux baissés, n'osant pas le regarder. Saisie de peur,

je m'éloigne vers le balcon sans avoir relevé les yeux. Soudain, une main touche la mienne. Je me retourne. Un beau jeune homme se tient devant moi. Il prend ma main, la baise délicatement et m'entraîne vers la salle de bal.

Les lumières s'éteignent. Nous nous mettons à danser. Je ne suis plus sûre de toucher terre. Nous sortons dans le jardin.

Et nous dansons, dansons, dansons ! Le temps est comme suspendu.
Le premier coup de minuit me ramène à la réalité.

J'échappe à mon cavalier en courant si vite que je perds une pantoufle.
Le carrosse m'emporte à toute allure. Au douzième coup de minuit,

je me retrouve assise par terre, en pleine campagne, avec la citrouille et mes amis. Il ne reste de mes beaux atours, que ma seconde pantoufle.
Le rêve est fini, mais il a été vraiment merveilleux.
Le Prince en personne n'aurait pas été plus charmant que ce jeune homme !

Je récupère mon fidèle balai dès le lendemain. Ma belle-mère semble dans tous ses états. Elle veut que j'aide ses filles à se préparer. Quand je comprends pourquoi, je suis stupéfaite. Le Grand Chambellan fait essayer à toutes les jeunes filles la petite pantoufle de verre qui a été trouvée. Celle qui parviendra à en chausser son pied deviendra la fiancée du Prince...
Le Prince ? C'était donc le Prince ?

Je monte l'escalier qui mène à ma chambre en chantant et en dansant, sans remarquer le regard perçant de ma belle-mère. Quand j'aperçois son reflet dans mon miroir, il est trop tard. Elle m'a suivie et enfermée dans ma chambre à double tour.

Je la supplie de me laisser sortir. En vain. J'entends le Grand Chambellan arriver. Je sais que mes sœurs vont essayer coûte que coûte de faire rentrer leur pied dans la pantoufle. Toutes les jeunes filles du Royaume vont faire

de même. Ce serait bien
étonnant qu'aucune n'y
parvienne.
Mais, ô miracle,
mes amies les souris
m'apportent la clef de ma
chambre ! Ces courageuses
petites créatures ont réussi
à la chiper dans
la poche de ma
belle-mère.
Je parviens en bas
de l'escalier au moment
où le Grand Chambellan va
repartir.

Ma belle-mère
et mes sœurs
protestent que
je ne suis qu'une
souillon.
Le Grand
Chambellan insiste pour me
faire essayer la pantoufle.
Juste à cet instant, ma belle-
mère le fait trébucher avec
sa canne. La pantoufle
se fracasse en mille
morceaux. Le brave homme
est désespéré, mais je sais
comment lui rendre le

sourire : je sors l'autre
pantoufle de ma poche !
Cette fois, personne
ne pourra plus briser mon
rêve. Le Grand Chambellan
m'emmène au palais
où mon
Prince
m'attend.
Je suis encore
en haillons,

mais il me trouve aussi belle que dans ma robe de bal. C'est parce qu'il m'aime. Moi aussi, je l'aime. Nous nous marions en grande pompe quelques jours plus tard.

Table

Transforme-toi en princesse

Tu rêves de ressembler à une princesse.. Le magazine Princesse te montre comment te fabriquer un serre-tête de star. Ce magnifique accessoire fera de toi une jolie princesse des mille et une nuits.

Il te faut

- une étoile dorée - de la colle forte - un ruban
- un serre-tête - une paire de ciseaux

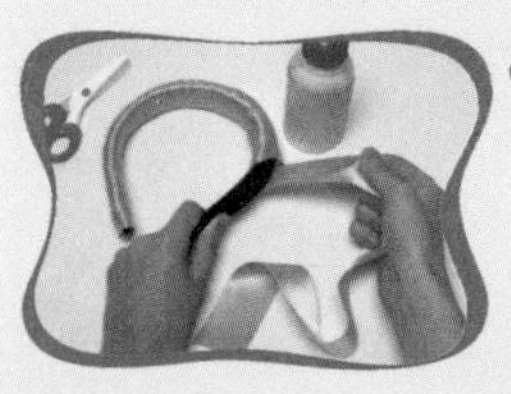

Entoure un vieux serre-tête d'un joli ruban de couleur. En t'appliquant, colle ensuite les extrémités du ruban.

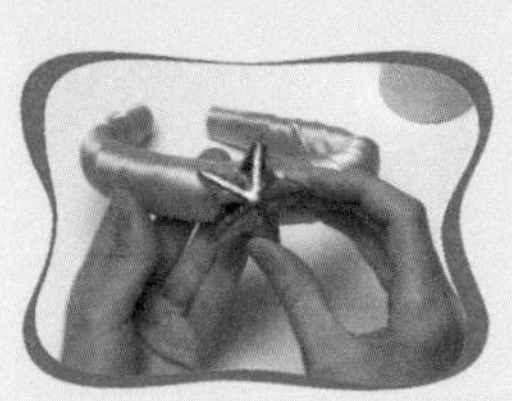

Colle l'étoile dorée au milieu du serre-tête. Laisse sécher. Tu peux enfin placer ce superbe bandeau sur ta tête.

Imprimé en France par ***Partenaires-Livres®***
n° dépôt légal : 52277 - décembre 2004
20.24.0870.4/05 ISBN : 2.01.200870.4
Loi n° 49-956 du 16 juillet 1949
sur les publications destinées à la jeunesse.